Morgan y Merlyn a Cai

Fran Evans

Addasiad
Mererid Hopwood

Roedd Cai wrth ei fodd ar y waun.

Beth allai fod yn well na gwylio'r merlod yn pori yno?

Oedden nhw'n gallu blasu halen y môr ar y gwair, tybed?

Roedd e'n dwlu sblasio yn y pyllau dŵr a chwarae â chreaduriaid y môr . . . ac roedd e wrth ei fodd yn casglu'r broc ar ôl i'r llanw mawr gilio.

’Nôl gartref, byddai Cai yn troi’r broc môr yn adar a chychod a bwystfilod. Weithiau byddai’n addurno’r campweithiau hyn â chregyn a cherrig mân.

Weithiau byddai'n rhaid iddo aros tan y diwedd cyn gwybod beth yn union oedd e wedi'i greu!

Ac weithiau byddai Cai yn dangos ei greadigaethau arbennig i bawb yn yr ysgol.

'Diddorol iawn,' meddai Mrs Williams.

'Mae'r cranc yn anhygoel!' meddai Siân.

Ond roedd Siôn a Siencyn yn genfigennus.

'Hen sbwriel drewllyd,' meddai'r ddau'n gas. 'Pwww, pwww! Cai, drewi, drewi, drwwwg!'

Ond ar y waun gallai Cai anghofio popeth am yr hen fwlis cas.

Byddai'n treulio oriau'n chwarae â'r merlod.

Morgan oedd ei ffrind gorau.

'Dere, Morgan,' galwai Cai, a deuai Morgan ato ar drot drwy'r pyllau dŵr.

Un tro, roedd Cai yn casglu pren i wneud cwch arbennig. Yn sydyn, cododd Morgan ei glustiau'n uchel. Gallai glywed lleisiau.

'Hei – drewgi!' bloeddiodd Siôn.

'Dwyn sbwriel eto?' gofynnodd Siencyn yn gas, gan gicio trysorau Cai i'r dŵr.

Chwarddodd y ddau fwli a rhedeg i ffwrdd i gyfeiriad yr hen oleudy.

Daeth Morgan at Cai a rhwbio ei fwng yn ei war wrth iddo gasglu'r trysorau o'r dŵr.

Gyda hynny, cododd y gwynt o'r môr. Roedd y merlod yn gwybod bod y llanw mawr yn nesáu.

Rhuthrodd y dŵr yn swnllyd a sydyn drwy'r ffosydd a gwlychu'r waun i gyd. Ond clywai Cai sŵn gwahanol.

‘Help! Help!’

Roedd y môr wedi dal Siôn a Siencyn.

‘Fedrwn ni ddim nofio!’ gwaeddodd y ddau, gan lynu fel gelod yng nghreigiau’r goleudy.

Edrychodd Cai i bob cyfeiriad. Doedd neb yn unman.
Dim ond fe a Morgan a allai eu helpu.

‘Dere, Morgan. Dere boi!’ Arweiniodd Cai Morgan i’r dŵr, a’r llanw’n codi, codi.

‘Brysia, Cai. Brysia!’ gwaeddodd y bechgyn, a’r ddau bron â chrio.

Cododd y dŵr yn uwch ac yn uwch . . .

'Neidiwch ar gefn Morgan!'
gwaeddodd Cai nerth ei ben. 'Dewch,
brysiwch! Dewch yn glou! Neidiwch! NAWR!'

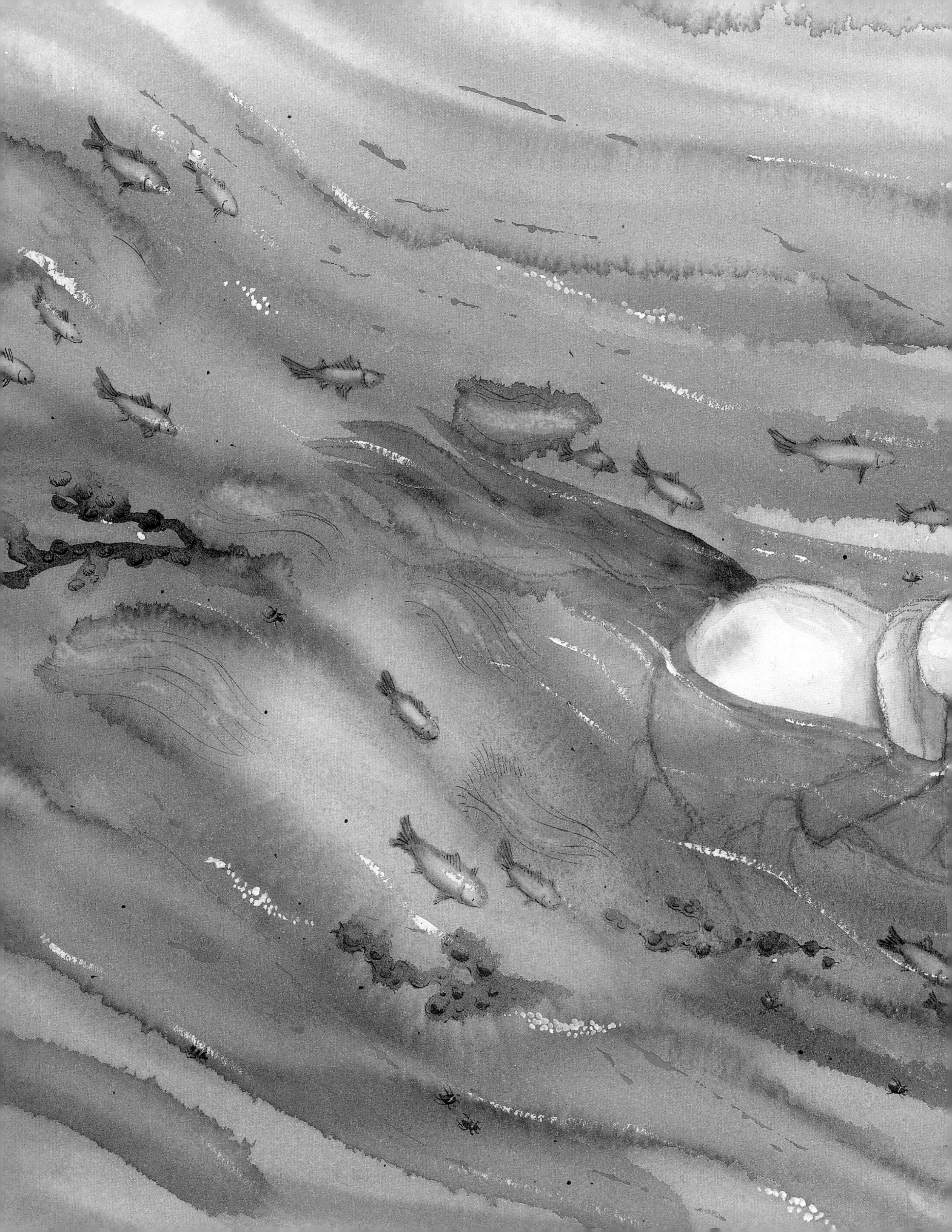

Gafaelodd Siôn a Siencyn yng nghefn
Morgan gan feddwl yn siŵr
fod y byd ar ben . . .

‘Rwy’n llithro,’ llefodd Siôn yn banig i gyd, ond plannodd Morgan ei garnau’n ddyfnach yn nhir heli’r waun.

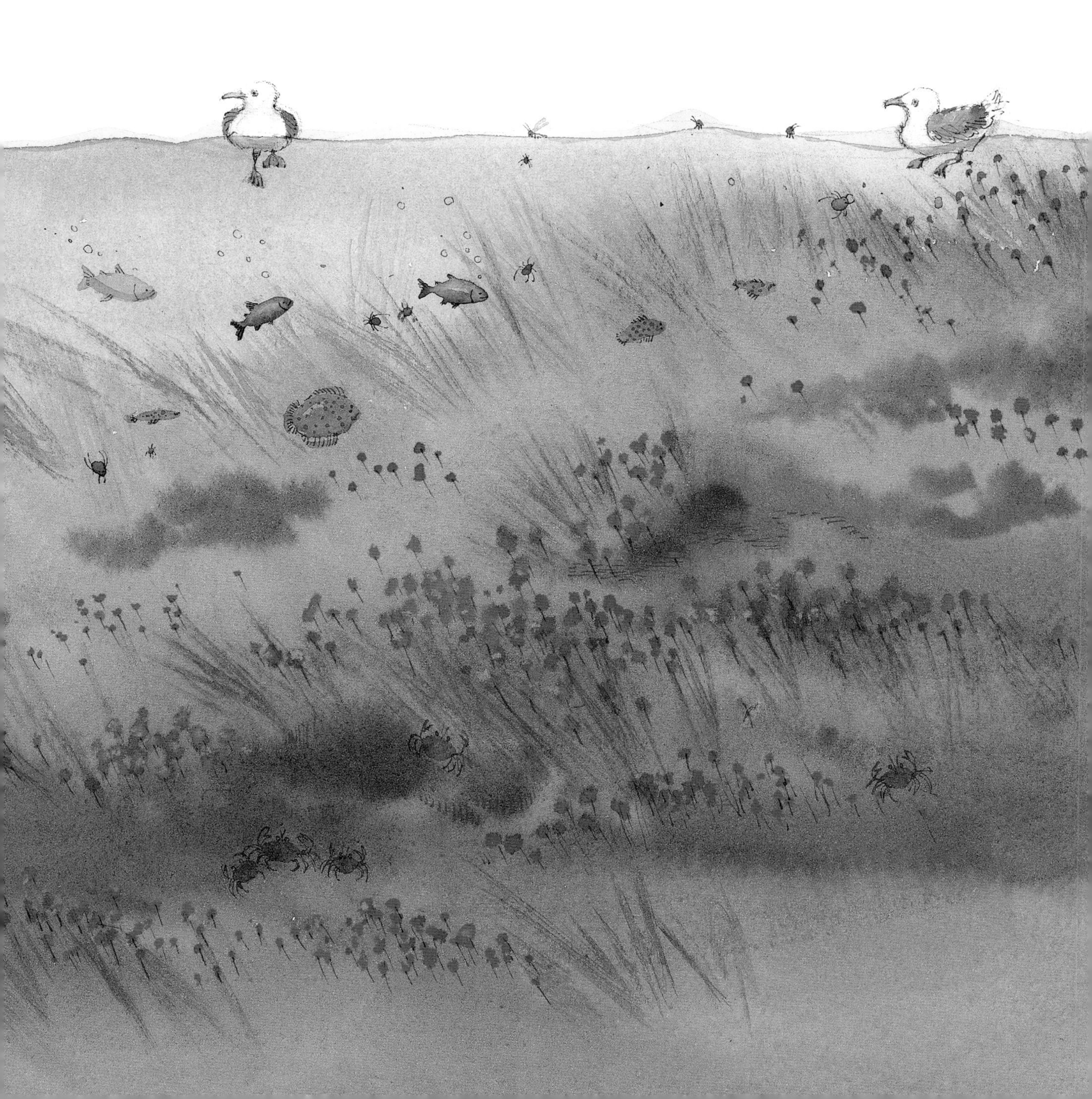

Wrth i Morgan gyrraedd tir sych, rholiodd y bechgyn i'r gwair gwlyb.

'Dewch! Brysiwch!' meddai Cai a'i wynt yn ei ddwrn. 'Mae'r llanw'n dod yn gynt ac yn gynt.'

Pan gyrhaeddodd y bechgyn dŷ Cai a phawb yn ddiogel, aeth Morgan drot trot yn ôl at y merlod eraill ar y waun.

'Diolch i ti, Morgan – diolch am ein hachub ni!' galwodd y bechgyn.

Gwenodd Cai'n hapus.
'Byddai'n well i chi ddod
i'r tŷ i sychu.'

‘Bois bach!’ meddai Siôn. ‘Ai ti wnaeth yr holl bethau hyn?’

‘Ie,’ meddai Cai. ‘Allwch chi chwarae â nhw os hoffech chi.’

Arllwysodd holl gynnwys ei fasged ar y bwrdd.

'Anhygoel!' meddai Siôn. 'Allwn ni wir?'

Cyn bo hir roedd y bechgyn yn gweithio ac yn chwarae'n hapus â'i gilydd.

'Welwn ni ti fory, Cai,' meddai Siôn, pan ddaeth hi'n amser mynd.

'Ie, welwn ni ti fory,' meddai Siencyn. 'Diolch, Cai. Byddwn ni'n ffrindiau am byth nawr. Yn ffrindiau, ni'n tri!'

'Heb anghofio Morgan, wrth gwrs!' meddai Cai gan wenu'n braf.

Roedd y tro trwstan wedi troi'n dro hapus iawn.

I Mike

Cyhoeddwyd gyntaf yn 2013 gan Wasg Gomer, Llandysul, Ceredigion, SA44 4JL
www.gomer.co.uk

ISBN 978 1 84851 661 8

Dymuna'r cyhoeddwyr gydnabod cefnogaeth Adrannau Cyngor Llyfrau Cymru.

Argraffwyd a rhwymwyd yng Nghymru gan Wasg Gomer, Llandysul, Ceredigion SA44 4JL